W9-BUP-875

Lola et les pirates

Ole Könnecke

Lola et les pirates

Traduit de l'allemand par Dominique Kugler

l'école des loisirs
11, rue de Sèvres, Paris 6e

Du même auteur à *l'école des loisirs*

Dans la collection MOUCHE
Lola et le fantôme

Titre original : « Lola und die Piraten »
Loi numéro 49.956 du 16 juillet 1949 sur les publications
destinées à la jeunesse : mars 2002
Dépôt légal : janvier 2004
Imprimé en France par IFC à Saint-Germain-du-Puy

LE VOYAGE était long pour aller chez Grand-père et Grand-mère. Alors Lola avait emporté deux pommes et un livre. Elle lut le livre jusqu'au bout. Elle mangea les deux pommes jusqu'au trognon. Et le voyage était fini.

GRAND-PÈRE attendait Lola à la gare. Il lui prit sa valise, et tous deux partirent à pied sur le sentier qui longe la falaise.

«Je suis content que tu sois venue, Lola, dit Grand-père. Si on faisait une partie de dames, après le déjeuner ?

– Moi je veux bien, répondit Lola. À condition que tu ne me laisses pas gagner exprès. Je n'aime pas du tout ça.

– Te laisser gagner ? s'écria Grand-père. Je ne laisse *jamais* personne gagner, Lola. Personne ! N'oublie pas que je suis le meilleur joueur de dames de la planète. J'ai une réputation à défendre.

– Oui mais, tu sais, je me suis exercée, dit Lola. Je crois que je pourrai te battre.

– Me battre, toi ? Ha, ha, ha, laisse-moi rire ! » rétorqua Grand-père. Il riait tellement qu'il faillit tomber à la renverse.

Pour fêter l'arrivée de Lola, Grand-mère lui avait préparé son gâteau préféré. Quand ils en eurent mangé deux parts chacun, Grand-père sortit de l'armoire le jeu de dames, les pions et une bouteille d'eau-de-vie.

« Bon, déclara-t-il en se versant un verre. Trop de gâteau, c'est mauvais pour la santé. Maintenant, on joue. »

Il disposa soigneusement les pions sur le damier.

« Seulement, promets-moi une chose, Lola : si tu perds, tu ne pleures pas. Tu comprends, je suis pour ainsi dire le roi des joueurs de dames. Donc, ce n'est pas un déshonneur de perdre contre moi. C'est même tout ce qu'il y a de plus normal.

– Peut-être que je gagnerai quand même, répondit Lola.

– Ha, ha, ha ! » s'esclaffa Grand-père. Il riait tellement qu'il faillit tomber de sa chaise.

ENSUITE, LA PARTIE commença…

… et Lola gagna !

Grand-père tomba à la renverse pour de bon.

« TU TE RENDS COMPTE, Lola ? dit Grand-mère. Tu as battu le roi des joueurs de dames.

– On refait une partie ? » proposa Lola.

Grand-père ne répondit pas. Il se leva, enfonça son bonnet sur sa tête et se dirigea droit vers la porte.

« Où vas-tu ? »

Mais Grand-père marmonna quelque chose comme: «Scrogneugneu de scrogneugneu de scrogneugneu!» et sortit en claquant la porte.

«Qu'est-ce qui lui prend?» demanda Lola, et elle reprit une part de gâteau.

Grand-mère se versa un autre café.

« Oh, tu sais, il n'a pas l'habitude de perdre. Ça le met de mauvaise humeur. Et quand ton grand-père est de mauvaise humeur, il va toujours se promener au bord de la mer. Là-bas, il peut rouspéter tant qu'il veut et jeter des cailloux dans l'eau. Quand il revient, il a retrouvé le sourire.

– Et ça peut durer longtemps ? demanda Lola.

– Non, pas trop longtemps, répondit Grand-mère. Bon, en attendant, faisons une partie de dames, toutes les deux.

– D’accord, mais tu ne te fâches pas si je gagne.

– Ne t’en fais pas, répondit Grand-mère. Je crois que nous allons passer une soirée bien tranquille. »

À peine avaient-elles commencé à jouer qu’elles entendirent un cri, dehors.

« Tu as entendu, Lola ? Je jurerais que c'était Grand-père ! »

Lola était déjà dehors.

Elle courut sur les falaises en appelant :

« GRAND-PÈRE ! GRAND-PÈRE ! »

Puis elle regarda vers la mer. Il faisait déjà nuit, elle aperçut pourtant le bateau aux voiles rouges. Et malgré le vent qui soufflait et les mouettes qui hurlaient, elle entendit distinctement la voix de Grand-père :

Au même moment, Lola vit arriver Grand-mère.

«Grand-père s'est fait enlever! s'écria-t-elle. Par un bateau qui avait des voiles toutes rouges. J'ai reconnu la voix de Grand-père!»

Grand-mère pâlit.

«Des voiles rouges? Tu en es sûre, Lola?

– Sûre et certaine!»

Grand-mère s'assit sur un rocher.

« Ainsi, il l'a quand même fait...

– Qui a fait quoi ? demanda Lola.

– Le capitaine Trimaran, le fameux pirate, la terreur de la côte, c'est lui qui a enlevé ton grand-père ! Après tant d'années ! » Grand-mère hocha lentement la tête. « Mais ça devait bien arriver un jour...

– Pourquoi ? demanda Lola.

– Rentrons, dit Grand-mère en se levant. Rentrons à la maison et je vais te raconter cette terrible histoire... »

« AVANT DE ME CONNAÎTRE, quand il était encore jeune et intrépide, ton grand-père avait travaillé quelque temps comme pirate. Il avait été engagé par le capitaine Trimaran, le célèbre et redoutable flibustier.

CHERCHE
J. HOMME
CÉLIB.
POUR
EMPLOI
STABLE
INTÉRESS.

Pendant que le capitaine s'occupait des opérations de piraterie proprement dites, Oscar devait laver le pont, travailler aux cuisines et faire toutes les corvées. Ça ne convenait pas du tout à ce jeune pirate plein d'ambition qu'était ton grand-père,

mais il espérait que sa chance viendrait un jour ou l'autre…

Un soir, après un pillage particulièrement fructueux, le capitaine Trimaran était tout joyeux. Il avait bu pas mal d'eau-de-vie et, quand il buvait, il ne pouvait s'empêcher de se vanter.

Il avait dégotté, entre autres, un très joli jeu de dames en marqueterie, avec des pions en bois d'ébène et en ivoire. Il a brandi le damier et s'est écrié :

"Ça tombe à pic ! On ne m'appelle pas pour rien le meilleur joueur de dames de tous les océans du monde

– et de toutes les mers intérieures, par-dessus le marché !”

Il s’est tranquillement approché de Grand-père, qui était en train d’éplucher les pommes de terre, et il lui a dit :

“Oscar ? Que dirais-tu d’une petite partie de dames ? Si tu gagnes, ce coffre est à toi. Avec le trésor qu’il contient !”

C'était une proposition alléchante. Ton grand-père a réfléchi : Voyons... Le capitaine a bu un petit verre de trop... Moi, qui n'ai rien bu, j'ai les idées claires... Donc je devrais pouvoir le battre... et alors à moi le trésor !

Et à voix haute, il a déclaré :

"Entendu, mon capitaine. Une petite partie, ça ne se refuse pas, pardi !

– Très bien, mon garçon. Et afin que cette partie soit encore plus intéressante pour nous deux, on va dire que, si tu perds, tu devras éplucher les pommes de terre et laver le pont pendant une année entière *sans toucher un sou*!"

Grand-père ne s'attendait pas à cela. Le capitaine était un homme très dangereux. *Mais Grand-père voulait absolument ce trésor!* Alors il a dit: "Bon, eh bien, allons-y!"

Et ils ont commencé à jouer...

– Et alors ? demanda Lola.

– Eh bien, figure-toi qu'Oscar s'est arrangé pour gagner. Le capitaine Trimaran, qui n'avait jamais perdu une seule partie de sa vie, n'en revenait pas. Il faut dire qu'il avait un peu abusé de l'eau-de-vie…

Grand-père n'a pas demandé son reste. Il a pris le coffre, l'a jeté dans un canot de sauvetage et s'est sauvé.

Après avoir ramé pendant quelques minutes, il a vu le capitaine Trimaran gesticuler, sur le bastingage. Il était fou de rage :

"Tu m'as trompé, Oscar ! J'avais bu un petit verre de trop et tu en as profité pour tricher ! Sinon tu n'aurais jamais gagné ! Mais tu ne perds rien pour attendre, je me vengerai ! Un jour je viendrai te chercher – ET ÇA IRA TRÈS MAL POUR TOI !"

– Et après ? demanda Lola.

– Après, Oscar est revenu à terre et il a ouvert le coffre. Mais en fait de trésor, il ne contenait que de vieux boutons et des bobines de fil à moitié usées.

Le capitaine Trimaran l'avait roulé.

– OUI MAIS, AVANT, Grand-père avait roulé le capitaine, lui aussi ?

– Qu'est-ce que tu racontes, Lola ?

– Mais enfin… il a bien triché, quand le capitaine ne regardait pas.

– Pas du tout ! rétorqua Grand-mère. C'est le capitaine Trimaran qui a prétendu cela et Trimaran est un pirate. On ne peut pas faire confiance aux pirates.

– Et Grand-père, il n'était pas pirate, lui aussi ?

– Grand-père lavait le pont et faisait la corvée de pluches, ce n'est pas la même chose ! Bon, et puis, assez

discuté, Lola. Maintenant, tu vas au lit. Il faut partir très tôt, demain.

– On va aller délivrer Grand-père ?

– As-tu une meilleure idée ? » demanda Grand-mère.

Sur ce, Lola et Grand-mère allèrent se coucher.

SUR UNE PARTIE isolée de la côte, se dressait un vieux phare. Il ne servait plus depuis fort longtemps. Pourtant, la nuit, on voyait de la lumière aux fenêtres. Car ce phare était le repaire du célèbre forban des mers, le capitaine Trimaran. C'est là qu'il se reposait des épuisants pillages auxquels l'obligeait son métier.

Et parfois, lorsqu'il avait ramassé un butin particulièrement abondant, on entendait son rire joyeux…

HA, HA, HA, HA, HA, HA, HA!

« EH BIEN, MON CHER OSCAR, dit le capitaine Trimaran. Tu ne t'attendais pas à ça, hein ? Tu ne pensais pas qu'on se reverrait, après tant d'années. »

Grand-père ne répondit pas.

Il s'efforçait de prendre un air

féroce, mais il n'y arrivait pas très bien.

« Tu pourrais être un peu plus aimable, Oscar. J'ai un cadeau de bienvenue pour toi. Attends, je reviens tout de suite. »

Le capitaine ouvrit la porte donnant sur la pièce voisine, fit un petit signe à Grand-père et disparut.

On entendit à côté un curieux bruit, comme celui que fait une grosse pendule quand on la remonte.

Le capitaine Trimaran revint. Mais avec qui ? Ou plutôt avec quoi ?

Une étrange silhouette, en effet, accompagnait le capitaine.

«Je te présente M. Gilbert. Le seul, l'unique, le meilleur joueur de dames du monde. C'est un automate. Je l'ai trouvé, il y a quelques semaines, et j'ai tout de suite pensé à toi, Oscar. Eh oui, M. Gilbert est le plus parfait

des joueurs de dames. Toujours sur ses gardes, extraordinairement vigilant, pratiquement imbattable. Il ne mange pas. Et il ne boit pas non plus. Ça t'épate, hein ? Eh bien, tu ne dis pas bonjour à M. Gilbert ? »

Hésitant, Grand-père serra la main que lui tendait M. Gilbert.

Elle était en bois.

«Je sais, mon cher Oscar, que tu es un vieux routier du jeu de dames, déclara le capitaine Trimaran. Alors j'ai pensé que cela t'intéresserait de tester tes capacités sur un nouvel adversaire.

Tu vas donc jouer contre M. Gilbert. Seulement cette fois, ce n'est pas un trésor qui est en jeu, c'est ta liberté. Car je ne te relâcherai que lorsque tu auras gagné une partie contre notre ami l'automate.

Je crois que nous allons passer un long moment ensemble, Oscar. Un très, très long moment. *Gnah, gnah, gnah !* »

Grand-père regarda le capitaine Trimaran, puis l'automate M. Gilbert, et tout à coup il eut terriblement envie de rentrer chez lui.

Peut-être Grand-père aurait-il eu meilleur moral s'il avait vu le petit bateau à moteur qui s'approchait lentement du phare…

Lola et Grand-mère étaient en route depuis l'aube. Elles avaient longé la côte à la recherche du bateau aux voiles rouges.

« Je suis certaine que le repaire du capitaine se trouve par ici », ne cessait de répéter Grand-mère.

Tout à coup, Lola s'écria :

« Là, droit devant ! Près du vieux phare. Le voilier est là ! »

Grand-mère arrêta le moteur. Le bateau glissa sans bruit le long de la berge, et ses deux passagères mirent pied à terre.

«Je ne vois personne dehors», constata Grand-mère.

Lola poussa prudemment la porte du phare.

«C'est ouvert, dit-elle.

– Écoute, Lola, va donc voir si Grand-père est là-haut.

– Tu ne viens pas avec moi? demanda Lola.

– Oh non, tu sais, à mon âge, monter toutes ces marches…

– Bon, alors j'y vais», dit Lola. Et elle disparut dans le phare.

ÇA EN FAIT, des marches ! se dit Lola en arrivant en haut. Elle se trouvait devant une porte close. Elle se pencha pour regarder par le trou de la serrure…

« Ho, ho, ho, s'esclaffait le capitaine Trimaran. Tu as encore perdu, Oscar ! C'est lassant, à la fin. Je crois que je vais aller faire une petite sieste. »

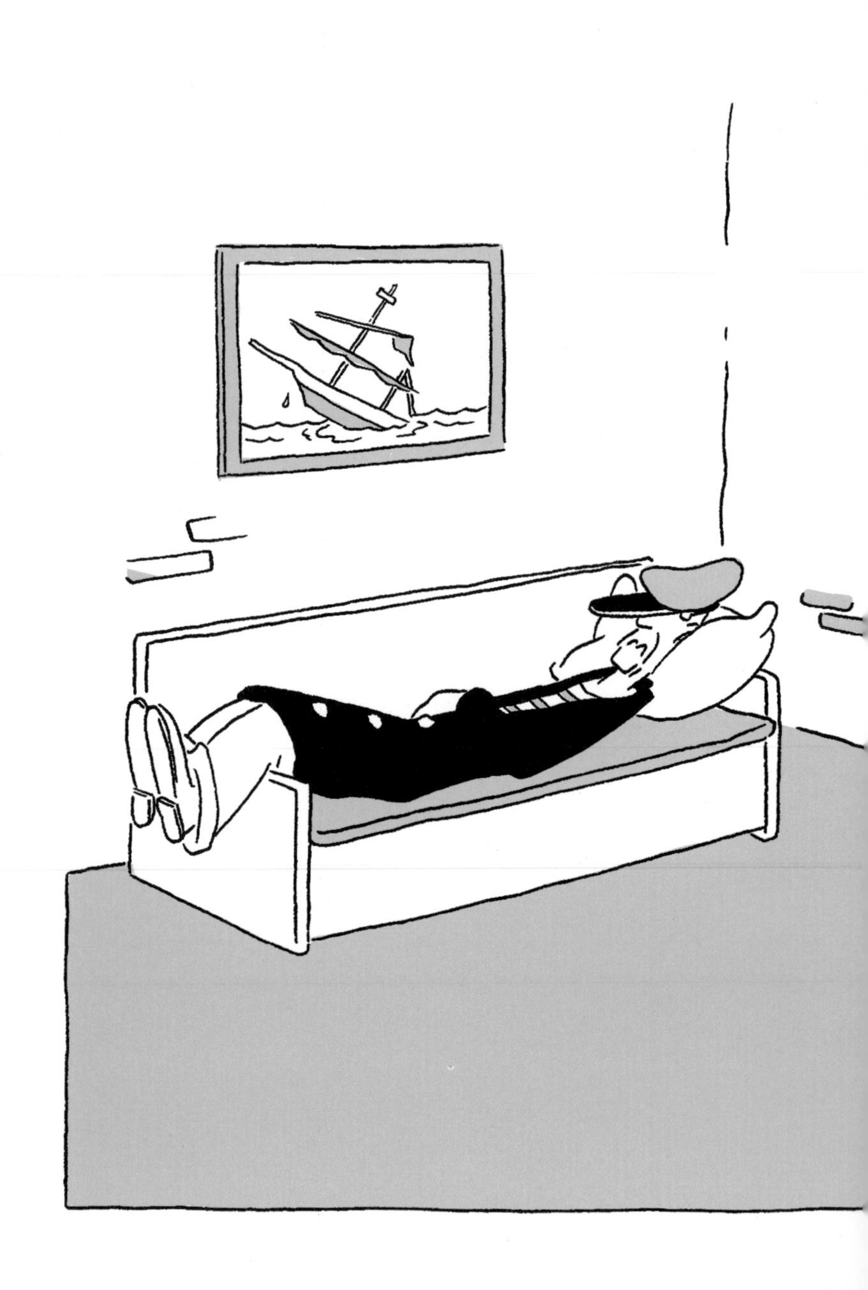

Lola attendit quelques minutes, puis elle ouvrit doucement la porte. Elle entra dans la pièce, passa devant le capitaine sur la pointe des pieds et avança à pas de loup jusqu'à la chaise de Grand-père.

« Bonjour, Grand-père, chuchota-t-elle. Ça va ?

– Oh, Lola. Je suis content de te voir. Tu te rends compte du tour qu'il m'a joué : je ne serai libre que lorsque j'aurai battu cette espèce de machine, et je n'arrête pas de perdre !

– Tu veux que je t'aide ? demanda Lola.

– Voyons, comment veux-tu m'aider, Lola ?

– En gagnant une partie à ta place, par exemple.

– Toi ? Laisse-moi rire ! »

Grand-père rit presque sans bruit, mais il faillit quand même tomber à la renverse.

« Pff! soupira Lola en installant les pions pour une nouvelle partie.

Lola joua donc contre M. Gilbert l'automate…

… et elle gagna.

M. Gilbert n'avait jamais perdu.

M. Gilbert ne *pouvait* pas perdre.

Alors M. Gilbert explosa.

« HOURRA ! Ça y est ! s'écria Grand-père en sautillant dans toute la pièce. Ça, c'était bien joué ! »

Mais, brusquement, le capitaine Trimaran arriva derrière lui.

Le bruit de l'explosion l'avait réveillé et il était d'humeur hargneuse.

« Tu m'as cassé mon joueur de dames, Oscar !

– Bien fait pour toi, rétorqua froidement Grand-père. Mon vieux, il faut s'attendre à perdre quand on joue contre le meilleur joueur de dames de la planète. »

C'est alors que le capitaine vit Lola.

« Qu'est-ce c'est que ça ? hurla-t-il. C'est la petite qui t'a aidé, hein ? Avoue ! Dès qu'on a le dos tourné, il se remet à tricher, celui-là !

– Tricheur toi-même ! cria Grand-père. Se faire aider par un automate, c'est ça tricher !

– Vous êtes tous les deux des tricheurs», intervint Lola.

Grand-père et le capitaine Trimaran se turent.

Lola alla chercher un balai pour rassembler les restes de M. Gilbert.

Grand-père se pencha vers le capitaine Trimaran.

« N'écoute pas la petite, chuchota-t-il, elle n'y connaît rien.

– C'est ce qui me semblait, répondit à voix basse le capitaine. En plus, c'est stupide de se disputer pour de tels enfantillages, tu ne trouves pas ?

– Absolument, répondit Grand-père. Nous savons toi et moi lequel de nous deux est le meilleur joueur de dames, alors à quoi bon se mettre en colère ?

– Je suis tout à fait de ton avis, dit le capitaine. Et c'est très loyal de ta part, de le reconnaître.

– De reconnaître quoi ?

– Eh bien, que je suis le meilleur joueur de dames de la planète !

– Mais pas du tout, s'écria Grand-père, puisque c'est moi le meilleur !

– Certainement pas !

– Bien sûr que si !

ASSISE AU SOLEIL devant le phare, Grand-mère buvait une tasse de café.

Elle entendait, en haut, des éclats de voix et se demandait si elle devait commencer à s'inquiéter, lorsqu'elle vit Lola qui descendait tranquillement.

« Alors, Lola ? As-tu trouvé Grand-père ?

– Oui. Il te passe le bonjour, dit Lola. Et il te fait dire aussi qu'il a encore quelque chose à régler avec le capitaine Trimaran, et que ce n'est pas la peine de l'attendre pour dîner.

– Bon, alors c'est que tout va bien», déclara Grand-mère.

Lola et Grand-mère remontèrent dans leur petit bateau, Lola mit le moteur en marche, et elles retournèrent à la maison.

« Le premier qui gagne trois parties, d'accord ? proposa Grand-père en installant les pions.

– Ne parle pas tant et joue ! grommela le capitaine. »

La nuit allait être longue.